T3-BNR-918

LA TABLE DES MATIÈRES
suivi de
LES AIRS DE FAMILLE

DU MÊME AUTEUR :

DE RÊVE ET D'ENCRE DOUCE. Montréal, Presses de l'atelier de gravures de l'UQAM, 1972 — avec 15 gravures de Suzanne Reid-Girard, Isabelle Desjardins, Cécile Bourgeois, Réal Dumais, Christine Bastien-Léonard, Martine Bertrand et Ronald Poirier.

POÈMES DE LA MER PAYS. Montréal, Éditions Hurtubise HMH, 1976, Collection «Sur parole».

FORGES FROIDES. Montréal, Éditions Quinze, 1977.

SUITE D'HIVER. Montréal, Réal Dumais éditeur, 1978 — avec 6 eaux-fortes sur cuivre de Réal Dumais.

CORPS SECOND. Montréal, Réal Dumais éditeur, 1981 — avec 6 eaux-fortes de Réal Dumais tirées chez Lacourière et Frélault à Paris. Tirage limité à 50 exemplaires.

LE MOT À MOT. Saint-Lambert, Éditions du Noroît, 1982 — avec 10 dessins de Réal Dumais.

LA PARTIE ET LE TOUT. LECTURE DE FERNAND OUELLETTE ET ROLAND GIGUÈRE. Québec, Les Presses de l'Université Laval, 1983, Collection «Vie des lettres québécoises».

EN TOUT ÉTAT DE CORPS. Trois-Rivières, Éditions les Écrits des Forges, 1985, Collection «Les rivières».

LES NOMS DU PÈRE suivi de LIEUX DITS : ITALIQUES. Saint-Lambert, Éditions du Noroît, 1985, avec 3 dessins et 2 photographies de Bruno Santerre.

COQS À DEUX TÊTES. Montréal, Éditions La Nouvelle Barre du Jour, 1987, Collection «Auteur/e».

TIRER AU CLAIR. Saint-Lambert, Éditions du Noroît, 1988 — avec cinq photographies d'André Martin.

LE SIÈCLE INACHEVÉ. Rimouski, ÉDITEQ, 1989 — avec six dessins de Paul-Émile Saulnier. («Prix littéraire des Associés»)

NOTE BIBLIOGRAPHIQUE :

Certains textes de LA TABLE DES MATIÈRES et de LES AIRS DE FAMILLE ont été publiés, sous une forme et sous des titres parfois différents, dans Vice versa et dans La Nouvelle Barre du Jour. La suite intitulée «La table des matières» a été lue à la radio de Radio-Canada, dans le cadre de l'émission «En toutes lettres» réalisée par Raymond Fafard.

Le projet de ce livre a pu être réalisé grâce à des subventions du Conseil des Arts du Canada et du ministère des Affaires culturelles du Québec.

PAUL CHANEL MALENFANT

LA TABLE DES MATIÈRES

suivi de

LES AIRS DE FAMILLE

avec six gouaches de Geneviève Martin

ÉDITIONS DU NOROÎT

Données de catalogage avant publication (Canada)

Malenfant, Paul Chanel, 1950-

La table des matières ; suivi de Les airs de famille

Poèmes.

ISBN 2-89018-203-7

I. Titre. II. Titre: Les airs de famille.

PS8576.A43T32 1990 C841'.54 C90-096612-2
PS9576.A43T32 1990
PQ3919.2.M34T32 1990

DISTRIBUTION EN LIBRAIRIE:

Diffusion Prologue Inc.
1650, boul. Lionel-Bertrand
Boisbriand
J7E 4H4

«Le Noroît souffle où il veut», en partie grâce aux subventions du ministère des Affaires culturelles du Québec et du Conseil des Arts du Canada.

Dépôt légal: 4e trimestre 1990
Bibliothèque nationale du Québec

ISBN: 2-89018-203-7
Imprimé au Canada

Pour Jean

«... et ce qu'il y a en haut et en bas, à Babel,
on n'en sait rien du tout.»
Franz Kafka

1.
LA TABLE DES MATIÈRES

Intensément imagine

Intensément imagine cette pierre, là, ce qu'elle prend d'espace et d'appétit dans les confidences du réel, cette pierre à ma place. Elle est donnée certaine quand elle offre dure sa seule présence dehors. Je la traduis, tout apprêté à la dire, je la fixe et la fige, retenant d'elle cette épaisse peau opaque et ma mort comme un silence suspendu. Je fais le poids, je désigne ce qui de l'oeil, subjugué de force, la désire et la refuse, à découvert je travaille la petite patience d'un rythme immobile et qui se tait, sûr d'être là, toujours même et repris dans les muscles et les murmures de la matière, recommencé comme un rythme de pierre qui roule, disait-elle, et qui se tient tout entier et parfaitement réel dans la pensée : et qui m'enlève les mots de la bouche.

Cette pierre, là

Ni rare ni précieuse, à bout de bras je la pousse à bout de souffle, je lui insuffle mes vertiges, ma voix, et je lance sur la pierre la première pierre. J'épelle l'ardoise et la craie mais qui donc a prise sur le noir si depuis la grotte et les néons se perdent les fils de l'âge ? Je dis bloc et machine et mur d'oreilles, je dis cratères et feu ouvert et celui qui profère a peur à sa peau, à sa toute petite mort sur la liste d'attente, comme si la mort même pouvait avoir peur de perdre la tête ou la mémoire, comme si ça, la mort, pouvait s'inscrire sur la pierre parmi les éclats d'obus dans le journal du matin. Cette pierre, là, toute et juste cette pierre sans faille ni éclat, en tel état de matière imperméable et de corps arrêté, face à face au réel et comme une idée fixe, je la baise et la maudis au cas où il faudrait que je me taise sans même avoir appris à parler.

Toute, à l'exact opposé de la danse

Toute, à l'exact opposé de la danse et de la roue, elle reste et d'elle-même se désigne. Un poids en équilibre sur la pesanteur du monde et les épaules. Je gravite ou je bouge, volontaire, sur les marelles de l'enfance ou dans les pas de danse de telle femme, ma mère, qui danse, qui se déplace, en des fragments de corps et de pensées éparses et d'alphabets multicolores, A et B et C essaimés dans la moelle épinière, je me dirige en tant de pièces dans les allées des choses, chaises ou fichiers, je remue parmi les saveurs entre les missiles ou les pluies maquillées. Dure, elle dure, et sûre d'être sans issue, et je passe, de part en part fendu et perméable je me disperse à toutes les volontés du rythme et de la nuée, je suis en miettes oui et je m'obstine à l'écrire et d'un coup de poing ou de rein, à la fendre.

Tant de vide en sa faction elle supporte

D'angle parfois tant de vide en sa faction elle supporte et j'en joue du regard comme d'un jouet atomique. Explose, dis-je, parmi les feuilles de thé et les abeilles bleues, à pieds joints saute et danse entre les tranchées et les cadavres, de Wall Street à Téhéran, pour Duvalier et Khomeiny, parle, garde rouge muette, à la faveur des bagues et des dents, dans le meurtre, le volcan, et pour toute cette chevelure flambant entre la morphine et les azalées. Temps de pierres. L'enfance a des billes dans la bouche, des cailloux blancs sous les semelles, tombe et brûle, l'enfance a l'âge du feu entre les genoux des filles aux allumettes : et feu elle passe à petits coups, maigre et fabuleuse sur le glacis des magazines, entre le doigt dans l'oeil et la meule au cou.

Et toute pleine du dedans au dehors

Elle n'a d'autre lieu que sa seule présence quand je suis fait de viscères, de peaux, quand j'avance entre les corridors et les fusains. Elle tient du hasard ou de l'horreur et j'ai des airs de familles, des cheveux gris et des fugues de Bach. Je suis vers la mort et sans savoir comment, je fuis et ma fuite même regarde en arrière des villes de violettes et les petites veines vertes à baiser aux poignets de mes soeurs ; je me disperse à toute allure entre l'horaire et le whisky, tout homme, toute forme que je suis s'évade dans le mouvement et la fièvre, entre les pages du calendrier et la carte de l'Italie. Intacte, cette pierre est brutalement pierreuse, sans origines ni arbres. Ni défaillances. Son aveugle vérité n'aurait rien de Dieu, rien de la douleur, elle se présente, intégrale, sans se prêter à la possession et toute pleine du dedans au dehors. J'éclate au moindre pas à chaque trait tiré vif sur la face de l'heure. Sans crier gare.

Comme plus nue que toute nue, elle s'élève

Système, tentacule, piston, rouage, elle assiste insensée et nucléaire, à l'effraction du sens ; je fais corps avec chaque aiguille dans ma peau, avec l'encre, l'huile, et je porte le coeur, seule effigie à viser juste la place qu'elle prend dans la poitrine. Devant le réel, ce que je sais du réel à désigner les choses, une pomme verte sur l'anthracite à dix heures du matin, le fil du téléphone dans les lignes de la main, le suspens d'une phrase de jazz à l'autre bout de la pièce... je me diffuse à pleins poumons, à plein temps je meurs pendant qu'elle persiste et que durent les choses. Heureusement dans la chambre il y a la voix. Elle s'élève et comme plus nue que toute nue, sans calcul et pleine mesure, elle tient du courant d'air mauve dans l'oreille, elle habite à chaque note, sans rien dire elle dit tout et se consume aussitôt sur le lobe de qui l'écoute, la voix. Car heureusement dans la chambre il y a la voix lapidaire la voix de Maria Stader la voix de Maria.

Et ne cesse d'être sans actes

En ordre, elle est parfaitement en ordre en la ténacité de sa présence à l'oeil, tandis que je rature telle phrase, que j'essuie du revers de la main la poussière sur un rayon, que je prends rendez-vous à six heures dans un bar. D'exister elle n'est jamais distraite et ne cesse d'être sans actes, sans autre violence que sa seule existence. L'idée que j'ai en tête, je la retourne et la triture, je la soupèse, la reprends, je me lève pour regarder la peinture qui s'écaille à la fenêtre et je bois un verre d'eau qui a un goût d'iode. Vraiment je suis en vrac, porté entre le choc et l'écho des choses par les stratèges, le hurlement et la philosophie. Sans cette pierre, sans l'insoutenable beauté de cette pierre, je me dissoudrais dans les rumeurs marines de ma ville et je tuerais le temps, tout le temps, entre le maquillage et les graffiti.

Depuis l'âme en allée dans ses anneaux

Peau par avance et de toutes parts trouée je suis la transparence et la dissolution, grave, elle tient le centre de gravité, elle supporte mille petites guerres sur tous les points du globe. Qui sent le sens entre le napalm et le bleu de méthylène, entre l'âme en allée dans ses anneaux et le souffle qui se dilue et perdure dans le souffle ? Je pense, passé simple, aux avenues de lilas et d'écureuils, au rouge aux lèvres de cette femme qui se tait sur ses dents pendant la danse et à l'Allemagne encore comme à une pensée de fanfare et de cinéma. Je dis pierre, tu es, et tant va le monde à la fin du monde qu'à la fin il se casse dans ma tête, dans la tête de cet homme que je suis et qui va, là, lettre au corps et retour d'âge, dit-elle, dans les chaleurs et l'odeur de vinaigre. Et que sais-je, sauf du réel et du désir, hormis le sable qui coule entre les doigts et le sexe qui bondit, car depuis l'âme en allée dans ses anneaux le corps, le corps seul, a toutes les odeurs.

En une seule phrase nombreuse

En une seule phrase nombreuse le réel, le réel et la pierre, toute la pierre du réel. Au jour le jour, je m'exerce à la matière, la main à la pâte je palpe ce qui prend corps et tous les pores de la pensée, je touche le cuir et le sexe et toute texture de peau, je goûte l'olive et l'hydrangée et la langue — ce goût de sueur de la langue quand elle dit mort, ce travail de sape sur le silence entre les dents — ; passant parmi les passants, je désigne l'interstice ou la fêlure, pelure d'orange ou rame de métro, je suis à la trace, pas à pas, ce qui passe et qui résiste et qui nie le passage. À ma portée, elle me fait obstacle et me défie de sa présence comme si le monde était insoutenable. Seule cette pierre est preuve : heureusement, certaines nuits, il y a des vocalises, le chant du sphinx à l'entrée de la chambre et ces corps crus de Giacometti, parfaitement tangibles, qui pensent, bien à l'abri dans leurs pensées, en tel corridor où gît et résonne le *mot* émietté et rieur dans le nom de Giacometti.

Sonore, justement

D'elle j'écoute tout ce qui m'étonne, oeuvre au noir et fourrure, et je prends le bruit par petits éclats dans le cou. Épreuve, elle est lourde d'être tant mise au monde et gisante parmi le monde elle se refuse aux plis, à la faille, toute et solidement objectée à la passion et au désastre. Elle bruisse et coïncide avec sa forme, justement, et je tends l'oreille pour en finir avec le béton et l'horaire, avec les photos de famille et les chambres à gaz. Je reste à l'affût de ma mort, de toutes les morts entre les gencives ; elles grugent, tournent en rond comme des fourmis. J'oscille entre la dépense et l'énergie, dans le cerveau de toute manière les cellules se dévorent, tel goût de beurre doux contre l'idée de calcul, de vengeance, ou la paupière violacée de cette fille qui va à son rendez-vous contre l'**Oeil** qui voit tout. Et la pierre précise qu'elle n'était pas une fois, qu'il n'yapasunseuldieuentroispersonnes ; cette pierre n'a pas de modèle et dans le lent étonnement de cette pierre, là où le père, dessous, je m'étonne que cela soit aussi ton nom, l'interminable fin d'un amour à n'en plus finir.

Toujours, le jour me tue

Je dirais encore qu'en son centre elle veille à tout, au sang jeté dans la cuve, aux panaris, à la tempe qui se dénude pour la pensée, les villes en elle, d'Amérique ou d'Italie, ne souffrent pas d'être mortelles. Porté disparu, je suis l'otage et le bourreau, je marche depuis la première page du journal jusqu'aux nouvelles de six heures, depuis le café refroidi jusqu'à l'impatience des os entre les draps. Le quotidien, dis-tu, au jour le jour me tue : la montre et le remède, le détail sur le front, la violence du piment rouge comme une balle sur la neige et tes gestes, bâtons rompus. Quand je te parle, avec des mailles dans la voix, avec des mots de tous les jours dans la voix quand je te parle et que tu ne m'entends pas, je sais *l'insoutenable légèreté de l'être.* Et je rêve à des folies de fard et de cuir parmi les pierres, à des filles de joie dans l'hystérie des seins et des lanières : elles danseraient, casquées et nues, comme cette femme sous le spasme des fouets, dans une chambre d'hôtel. À Bergame.

Passée sous silence

Elle, volumineuse et toute à son corps défendant, je vaque aux affaires courantes : ma mort, des pastilles dans la bouche et les émeutes de Manille. Passée sous silence, cette pierre est femme par la seule étendue de son ventre, dans la stricte intimité de la substance et de la structure où je me prends à rêver le sens. Je suis sec, et tout de fibres et de lignes à fleur de peau. Seule la formule du sang résonne à mes tempes quand s'animent les tableaux et l'ironie de Magritte. Je regarde sans voir tandis que tout le regard de la pierre occupe mon regard, tandis que s'égarent la planète et le lexique, je me concentre et résiste dans ce mal où se confond le corps. Plaies, brûlures, caries, sels : je suis la jointure sans visage et le gant retourné. Janvier se retourne sur mon passage et son masque me colle à la face sangsue froide me colle à la peau comme un tableau.

À cet air qui circule autour...

À cet air qui circule autour de la pierre, je dis figures d'autorité ou baigneuses dans le lavis, buildings dans le couchant. Quand tu lèves la main sur moi, j'insiste sur la calligraphie, je m'applique à l'encre bleue, je trace *murmures de la mer* et sous le transparent la mer passe, moderne, comme dans l'enfance elle passait sa robe tandis que je semais sur la plage les cailloux blancs de l'Histoire. Je pensais, l'air de souffrir... Je me retrouve, en faute et plein délit de miroir, entre des cheveux d'anges d'église, des élégies de vêpres distraites. À partir de rien. Muette, elle réside en tous lieux, elle s'attarde à toute l'exactitude de sa résidence et ni le feu ni la guerre n'ont de prise sur sa peau. À l'indicatif présent, je conjugue la cathédrale, je décline le lilas gris, basalte, ardoise et tant de consonnes liquides sur la langue morte. Trop de viande, disait-elle, trop mangé de viande. Petit juif, ce fils brûle sur la pierre. Bien méritée.

Prétexte, elle tient le temps

De cette pierre, prétexte elle tient le temps, ne perds pas le rythme, ni dans le décalage horaire, ni dans le petit crachin de novembre, ni pour la voix d'oiseau du paradis d'oiseaux de Teresa Stratas. Pointe et saillante, elle est chose du monde, dense, elle t'informe des indices du réel ; plus que la montre ou la chimie, plus que la caméra et le Viêt-nam, elle te tient à bout portant quand la terre est monochrome et que tu te souviens triste que vingt ans c'était hier. Deuil, il suffit de l'imperméable et du rétroviseur, un instant tu coïncides avec le geste, celui du doigt sur ta joue quand tu ne savais pas épeler chrysanthème, celui du corps qui prend le virage de sa mort parmi les autoroutes et les néons de nuit. À partir de rien dis-tu encore, toujours jamais comme l'éternité ; alors la voix et la danse vont de pair, sous leurs jupes et leurs voiles la danse et la voix te rassemblent, toutes volutes et filles de soie et filatures, tu retrouves sous l'agenda et la patte d'oie, dans le profil d'une aube où ton père a pris ta place dans la glace, le retour d'âge et l'enfance retombée sur ses genoux.

Parmi les pans d'ombre

Comme ces violons qui volent dans les toiles de Chagall cette pierre n'a pas de sens unique. De l'inertie elle ne fait qu'apparence et faux témoignage. Je prends ce jour par la main, je le conduis parmi les gestes du jour entre les antennes et les mitrailles, parmi les chairs qui tremblent dans les chambres d'hôpital entre les odeurs d'ammoniaque et les cris d'agonie. La pensée même de la pensée, est partout disait-il, dans le nègre et le fauve, dans le brin d'herbe et l'abat-jour. Ainsi je remets ma mort à plus tard, à plus tard ce qui ne pourra jamais m'advenir en ma seule présence, le crachat la rose rouge le satin, et je dis que je ne suis qu'un type anonyme, de tel âge et de couleur, que je ne sais de Dieu que ce qu'il se refuse à m'en dire. Parmi les pans d'ombre, je suis tiré au clair, dans la fumée des cigarettes et juste à l'angle de cette rue transversale qui bruisse de tambours. Je dis surtout que le style soit contemporain comme au Japon des pierres on fait, parfaitement, de tout petits jardins.

Le corps travaille

Le corps travaille la phrase comme de raison la phrase dans ses écailles et ses anneaux, elle prend des allures de sonate ou de bolide quand le corps, à tous risques, fait table rase de ses pelures. Tu penses comment écrire au bord de la mer, copie conforme et préface, si tant de signes rendent innommable le réel, si les ongles et les fourmis de l'enfance, à chaque souffle, font surface entre les grandes lèvres de l'eau ? Tu dis encore je suis en creux et chaque phrase m'évide et chaque phrase me reprend dans le silence qu'il fait la nuit sous les peupliers, dans l'idée fixe du suicide aux phares d'une voiture arrêtée au bord de la mer. Des ronds dans l'eau, j'hésite entre le dé à coudre et le soldat de plomb, scories, échos, entre le pluvier et le bigoudi. Je fais des sens, miniatures, je marche à pas de loups dans les sentiers battus et je nomme de petits univers discrets. Comme insensés. Heureusement, à la radio, s'allume une voix de femme quand passe sur la ligne d'horizon un pétrolier de Pologne. Comment recommencer ?

Le corps prend forme

Angle mort cette pierre dans ma tête continue de penser à la mort et d'autres têtes dans ma tête continuent de penser — intensément imagine cette pierre — à l'oseille dans la bouche ou à des soldats d'été qui fument au coin de la rue, à la serrure ou au calendrier, au petit renard roux qu'elle portait à son cou, à ses yeux de poupée. Alors le corps s'ancre au réel, en telle ville de cirage ou de saules pleureurs, en tels lieux inédits, ponts de navires ou seuils de cathédrales, le corps prend forme et figure de corps. Il faut voir alors tout ce qui saute aux yeux dans la furie des rideaux et des licornes; prendre tout ce qui prend à la gorge parmi les opéras, les politiques, les guerillas et les musées. Fantasmes et **Canon :** surtout ne pas perdre sa pose quand toute rouge de boucherie elle se met nue sur une table et se met à parler.

Babel

Ce jour de pluie était un mauvais jour tandis qu'elle parlait de la tour de Babel. Pierre après pierre, disait-elle, avec des angles dans la voix, avec des formules de pyramides et des joues égyptiennes, et le monde s'érigeait sur son socle, le monde finissait par paraître, debout et démesuré comme cette grande femme debout qui parlait dans une salle vide. Le corps est à la répétition, répétez après moi gardez le rythme des anges passent et des mouches noires collent aux banderolles dorées, le corps est le miroir... J'ai l'âge de pierre et de raison ingrate et je récite par coeur les leçons de latin. Avec patience, à la manière des notes polonaises, blanches et noires, à la façon de l'écolier qui se touche derrière l'escalier jaune de la cuisine tandis que la fille lui met du beurre au cou, à la faveur de la nuit qui tombe et prend le large pendant que passe le train de six heures et que dans la gare ça parle toutes les langues.

De toute évidence

De toute évidence toute close, de la matière éprise elle tient du lierre et de la reliure, tandis qu'à partir des livres j'écris, que je parle à pleins poumons retournés sur le vide, le vif. Espresso, une orange mauve sur la table, je suis je viens au monde et le monde toujours vaille que vaille retourne d'où il vient parmi les allées de pierres, entre les usines et les pigeons. Routine du journal dans le métro de Montréal : du jour qui se lève sur la mer, guerre et grève générales, la dernière goutte de café fige comme du sang dans la gorge, comme du sang aux genoux amputés des cadavres de haine aujourd'hui à Haïti : «Next one, dit-elle, corsée deux laits deux sucres». Il suffit de foncer dans le réel, à bien y penser il suffit d'une idée fixe dans le crâne comme une allumette sous le revers de la pluie, alors le corps prend patience : des mémos, du muscadet à midi, de la mort et de la violette africaine entre les volets de l'immeuble voisin. Tu dis, donc tu es à la recherche de ton âme, tombée du jour avec le couvre-feu et les chats de gouttières. S'il elle allait s'ouvrir encore, la pierre, quand la lumière m'étonne tel matin de décembre parmi tant d'autres.

Le mur du son

Veilleuse encore la vue baisse sur le mur du son, sur le temps de jadis avec des crabes et des araignées dans les contes d'insomnies, quand sous la lampe ton père te faisait des histoires. Depuis, comme tout un chacun, tu marches bon coeur parmi les ampoules et les cafards. Les fiches d'identité gardent la mémoire de ton nom. Rouges les publicités de toutes leurs dents te sourient. «Solde, le monde est en solde à tel prix à portée des mains qui se tendent dans le riz du petit écran avec des yeux plus grands que le ventre, des ventres à terre qui sourient». Tu passes ton chemin appuies sur l'accélérateur à toute vitesse le temps file nuée de mouches-à-feu qui brûlent sous les réverbères stop ta mort comme un coup de foudre sur une autoroute. Ondes courtes, à la radio ça parle d'émeutes et de détonations, tu apprends que le réel, toute l'Histoire du réel les compte par milliers les artilleurs et les soldats et les crabes et les araignées et tous ceux-là qui te coudraient la bouche.

2.

BABEL

De bouche à oreille

Ou cette peur subite de ne plus le nommer le réel sur les tables de matières tu enfreins la loi des ancêtres par des lexiques, des images ; alors tu répètes samovar ou salamandre pour la passion du son qu'ils font dans la bouche contre la mort et l'âme, dans la salive, se distille.

Si tu bois les mots

Si tu bois les mots de la bouche contre le sens le verbe te fait chair, pleine peau sonore et jouie dans les vapeurs sonores de la poire de la prunelle. Toute ta vie s'exerce entre la diction et l'alphabet, tu surveilles, chaos, le désastre des atomes dans les salles de chirurgie, l'écho des choses, rimes, mirages, comme le profil impossible dans le miroir où tu passes. La pierre est sans laps et toute de texture tenue alors que tu entends la dislocation des os parmi les requiem et les chants d'amour. Cancer rance quand il s'agissait de se taire, entre l'eau de Javel et l'encaustique, de midi à trois heures. Et tu dis que les mots font des boucles aux lobes des oreilles, tombés de l'enfance ils se posent comme des âmes bleues dans les rétroviseurs et les kaléidoscopes : raconte encore l'histoire du chevalier à la rose, le repos du septième jour et la côte d'Adam, le silence de la fille endormie au bois dormant, car le monde se décline quand tu avales les cailloux retournés dans ta bouche.

Choses certaines les choses

S'il s'agit juste de dire l'urgence du réel la nécessité des choses, elles te frappent de plein fouet : tu touches du bois dans les salles d'attente et comptes, car tes jours sont comptés. Pour les dire, l'étonnement de la nature morte, les fils électriques, l'armoise coupée sur la rocaille, tu prends le temps qu'il faut et qui dure, entre la forme et la texture. Aux surfaces, épileptique ta mémoire se perd, comme sur la pellicule d'enfance la fumée de la dernière cigarette du condamné à mort, sur la lune, dans le journal américain. À telles heures du jour, choses certaines les choses font acte de présence ; cela se voit à l'oeil qui ne sait plus où se poser parmi les meubles debout, entre les rails qui se croisent là-bas jusqu'à l'absolu du bleu où l'air se désiste. Tu imagines, précisément, — greffe d'agathe juste à la place de la rétine — histoire que le monde, un seul instant dépouillé d'opacité et de poids, tourne de l'oeil parmi les paliers et les pylônes et tu regardes, comptine, les cellules qui tremblent comme des nénuphars géants et clairs de lune aux pierres de la lune.

Dans le sens contraire

Depuis l'attente du poème à écrire tu penses à rebours : dans le sens contraire des aiguilles aux tempes et les yeux portent loin sur l'étendue des traces de plomb à effacer aux surfaces du réel. Il suffirait d'un colibri entre les ongles, d'un bol de faïence sur le comptoir, d'une roue de bicyclette entre les genoux, tant les mots te ramènent à l'arête des choses, tant te pèsent sur la nuque les douze morts du tueur fou de Melbourne ou la signature du numéro un soviétique qui parle de désarmement entre les gendarmes et les sourires de gala. Je suis là comme au café (mais où suis-je, en quel lieu du corps tandis que tout le corps se jouxte au travail du corps ?) dans le regard fixe des galets, pendant que partout l'espace grésille de libellulles bleues. Une tête m'observe au travers du mur alors que j'écris dans l'étonnement de l'écriture et de Pergolèse, elle tombe sur la page en ouvrant les paupières. Je peins ses lèvres à l'encre rouge, car j'ai l'oreille absolue quand la terre aiguise ses couteaux.

Jusqu'à l'arrêt de mort

Couvre-feu et main courante, le corps fait ses quatre volontés parmi le désir et la ferraille, déploie ses peaux le corps parmi les peaux qui passent rue Sainte-Catherine rue Saint-Denis, qui s'agglutinent dans les terrains vagues et les cinémas. À mesure que je marche dans mon corps d'homme qui me serre à la taille à l'épaule me courbe, je sème des cailloux blancs, petite monnaie sonore sur la musique des trottoirs. Roses, les cervelles flambent sous les réverbères et les adolescents aux mains de cuir échangent d'étranges poignées de mains. J'avance jusqu'à l'arrêt de mort entre les fleurs de plastique et les mythologies, l'arabica noir et le télégramme de Venise. Centre-ville : je suis en chasse, en transe de la pensée où je retrouverais mon chemin, pendant que sur mon passage les yeux se détournent comme de petits animaux, petits amoureux vifs qui rentrent dans leur trou. Chassé du paradis, un ange court entre les bornes-fontaines et les saules pleureurs, quand sonnent, dans la nuit de phosphore et d'alléluias, les quatre cents coups des mitrailles.

De toute éternité

Alors tu penses le corps comme un noeud coulant car de toute éternité, disait-elle, le monde vieillit, le monde est au commencement de la fin. Où donc va la forme de la peau et des os quand du chloroforme dans les miroirs, quand des soldats aux mains armées tranchent la question dans la gorge et que la mort siffle et seule sur la corde de sol comme un violoncelle seul entre les genoux ? Pour la certitude des choses, l'émoi palpable qu'elles provoquent dans la paume, il s'agit de toucher, le lilas ou la crevette, le coq qui tourne de l'oeil vers le nord et les petits sexes en V dessinés aux marges des missels. L'enfance a des souvenirs de coeur gros depuis la platine et les roses rouges du calendrier, dans les icônes et l'encens des annales, parmi les collages et les cuisses couleur chair des catalogues. Découpe le réel, décalque le pendu sur le vinyle ou regarde de près les petits vers blancs qui brillent entre les feuilles de choux, car la mort, disait-elle encore, frappe à toute heure du jour et de la nuit, elle vient comme une voleuse entre les chemins de croix et la croisée des chemins, et passe, tresse de rameaux brûlés entre les dents, comme un passe-temps.

Toujours, jamais

Tous les livres racontent la même histoire, disait-elle en lisant dans mon dos l'almanach ; tu caches les écureuils et l'année bissextile, tu comptes aux jointures les mois de trente jours. À mon corps, défendu défendant, j'ai appris à compter les lettres de l'alphabet et les plis aux jupes de ma mère qui danse, les bocaux de confiture violets à la fenêtre et le nombre des os du corps alignés sur les planches d'anatomie. Du réel, je sais le chiffre innombrable, la panoplie des choses dans les vitrines et les fautes chuchotées, petites chiennes en chaleur, dans la canicule des confessionnaux. Depuis, Moïse casse les tables de la loi, les lettres me suivent parmi les dictionnaires et les encyclopédies et j'aime les petites cellules bleues qui tournent de l'oeil dans les tableaux de Miro.Il faudrait savoir aussi que dans les siècles des siècles et la mémoire les morts se comptent par milliers.

«... rue Saint-Denis la morose»

Réellement nous avions rêvé à des platanes, à des maronniers, tant le cuir était vert entre l'express et le bleu de nuit ; le corps, à corps disais-tu, n'était qu'une chose, anonyme parmi tant d'autres dans ses membres désoeuvrés, chargé à blanc le corps se déployait comme un drap sur le corps découvert. Tu erres, là où la langue entre nous n'a plus cours, tandis que Judy Garland entre nous chante *somewhere over the rainbow* et que ça défile la minute de vérité dans le rétroviseur l'accent aigu des platanes et le garçon que tu n'as plus revu et la tache de naissance qu'il portait au cou ; pour la première fois de ta vie tu as cru... Contrebasse, le réel se fige et dure sur le verre de vin rouge partout ça parle ça enterre la voix de Judy Garland *somewhere* la portière claque comme un couvercle taxi les néons éclatent dans les yeux des billes de verre dans les yeux de toute histoire ta vie s'évide tire à sa fin tandis que je reste debout tout fin seul dans ce cinéma, où ce n'est pas encore le tour de ce corps que je porte rue Saint-Denis, là où je passe, là où les frères se suicident, taxi, en fin d'après midi.

L'absolu bleu

Si la phrase, le galbe ou le profil de la phrase ne demandent qu'à venir, tu laisses en plan, pour comptes, le réel ; car le réel n'est pas tiré au clair, le réel n'est qu'un épisode du réel. Amarcor. Tu rôdes autour de l'autre que tu fus, l'enfant brûle les rideaux aux feuilles de palmiers, crache son désespoir aux lavabos et des seins de mie lèchent les murs de la cuisine. La nuit, le sort de la mort est jeté aux orties, tiens le rythme, moderne, disait-elle ; les pensées tournent dans ma tête. Cela, les images projetées dans la boîte crânienne : dans sa danse elle écrase du pied la tête du serpent et des têtes grises de morues sourient dans la bassine. Cela : de quelle substance exacte de la pensée, en quel muscle du corps qui se répète cela explique-moi cela ? J'ai l'oeil juste sur les fissures et les traces, ma main ne tremble pas au compte-gouttes dans l'oeil, au compas sur la page d'Italie ; je dépiste les jupes volantes et le nylon dans les sous-bois et les automobiles. Double, crois-tu, le cerveau est complice de l'histoire et les livres, sous l'abat-jour, au centuple multiplient le réel. Mais explique-moi encore l'absolu bleu le bleu de l'angélus bleu.

L'âme des familles

Comme en certaines audaces d'existence tout est dans l'attaque, selon les morts de Gaza, de Séoul ; la visée du poème tend à l'usure des choses mais où vont les choses, la façade, la parole politique et les anges de Rheims, tant elles s'usent. L'âme des familles croupit entre les collatéraux et les codicilles, les familles pâlissent à la vue du sang sur les tombes et des eaux jetées dans les égouts. Et journalier je dis que je suis la chair de leur chair le sang de leur sang, je vais porte à porte et vendu au poids dans les réclames publicitaires et les syntagmes de néon. Tout est consommé sur les comptoirs et dans les chambres conjugales, une à une et odorantes les choses s'effritent comme de petites fourrures brûlées. Ne s'émeut pas le coeur de pierre roule parmi les nerfs dans la poitrine, le coeur compte à rebours, pulsions des phrases ou des citations ; elles adviennent de mémoire tels des pigeons explosifs sur la place de l'horloge. Alors noyé dans la foule, entre les morts de Gaza, de Séoul, je pense que *la mort n'est qu'une toute petite chose glacée et qui n'a aucune sorte d'importance ;* quand le mot, du monde, de la mort, à la chute du poème restitue la couleur.

Le tour de l'horloge

À tant danser je dis qu'elle prenait toute la place du monde qui tournait au jaune dans le vitrail de la cuisine : et ses pas, la lente ou la vive foulée de ses pas sur mon crâne, sur toute ma peau qui ne danse pas, ces pas, là, dans la laine ou la mélasse, dans la litanie ou le tonnerre, me faisaient tour de taille et tour d'horloge et de Babel. Aujourd'hui, j'ai des pensées de chèvrefeuille entre les lèvres ; mais les cannibales sous le nylon noir se profilent aux miroirs, car le monde de ma mère qui danse se démembre comme un bonhomme de carton. Rentré de la guerre mon père touche le capital, les poux des poules, blasphème le coeur d'oiseau tend l'autre joue des quatre jeudis. Comment mesurer la dimension des mondes et la musique croassante dans la gueule des orateurs quand le passé, comme un seul de ces pas, là, piétinant aux prunelles de mes soeurs qui saignent, martelant les tempes de mes soeurs que j'aime, me remonte à la gorge ? Et penser que le chameau que je suis dans les livres du désert ne passera pas, dit-elle, dans le chas de l'aiguille.

Ce jazz qu'elle fait la phrase

De ce temps rien ne va plus de cette «belle époque», disait-elle, en communiante parmi les dalhias et les ailes de deuil. Aujourd'hui pour écrire : le seul recours aux livres, aux photographies, aux neurones que tu imagines comme de petites soucoupes volantes derrière le front. Et tu entends des mots cassés entre les dents dans la musique de Glenn Gould. Comme elle vient sur la page écoute le jazz qu'elle fait cette phrase, la matière qu'elle secrète cette phrase qui te passe au corps, portant les manchettes et les guerillas, le calcul des ongles tous budgets ou ton âme encore qui se maquille à grands traits aux lames des essuie-glaces ; ce jazz qu'elle fait ta phrase, on dirait des côtes broyées dans la cage thoracique ou le spleen des oiseaux chassés de l'espace et du poème. Cette phrase prend acte de ta présence, instantanée, entre l'allumette et le clin d'oeil ; cette phrase arrête momentanément ta mort sur un battement de paupières, sur une idée de lilas ; cette phrase hors de toi te tient. En moins de temps qu'il ne faut pour la dire elle advient, imparfaite parmi les fautes et les fleurs de conjugaisons, belle époque et claire fontaine, elle te tient à l'oeil comme une communiante nue entre les dalhias et les ailes de deuil.

Les nombres d'or

De retour dans la pensée quand le corps ne sait plus où donner de la tête, quand le corps à la bouche se peint des cirages de Harlem, qu'il se revêt, mâle, du jean de l'eunuque sur le Pontevecchio. Ailleurs le nombril des filles regarde l'amaryllis, ailleurs les gendarmes d'octobre fument sous les verrous et ta mère râpe la muscade et pose pour le beurre le bouton d'or au cou. Dans toute cette affaire tu penses que la mort ne se voit pas, l'oeil tourne au mauve pour s'en aller ailleurs ; et ce corps, ce cri, philippino alexander giovannini, comme une langue entendue pour la première fois, s'éloigne, confetti de pores et de salives, parmi des gestes précis de chirurgie. De retour dans la pensée, le corps se fait plus seul que son odeur, il s'étonne des noirs qui brillent dans le jaune des capitales, le corps, comme un modèle de corps tout absorbé dans sa pensée, s'arrête au seuil du tableau. Ici, le lion de peluche lèche la fille au pubis, le nain guillaume compte les oeillets de poète et ta mère, à petits cris, jette le pain aux oiseaux.

Langes

S'il s'agit d'avoir le dernier mot sous la plume, ils adviennent le grain de coriandre ou le volet vert ; des idées dans la bouche. Elle disait : ton âme dans la gorge, ton âme comme du rose dans les limbes, en allée. Depuis l'enfance sait que la mer, manufacture de muscles et de sueurs, chaque nuit annule la mer, qu'elle machine des complots de chambres de familles, portant des mannequins et des cythares et des revolvers chargés à blanc. À genoux au pied du mur du son, tu dis que la langue est partout passe partout la langue sur le sel le sable elle aspire jusqu'au silence dans la bouche toute bée de voir, qu'elle arrache d'un seul trait de rouge avec sa joue et ses langes, la langue maternelle.

Les murs ont des oreilles

Depuis, modernes, les murs ont des oreilles, ils écrivent dans les villes de craie cassée, dans d'étranges villes aux heures de pointe de seins et de paillettes, dans ces villes de mer parfois, où je meurs et marche de ma plus belle mort. Pantin, piston, je pense à la pesanteur de ma peau qui marche dans la rue ; une hirondelle se casse à la vitrine où la fille refait son rouge, le malachite crie dans les écrins et l'amputé de guerre tend son bol dans le vide. De toute ma peau, je marche parmi les corps à corps et les écritures, dans toutes les langues ça parle aux murs ; regard armé du Chinois de Saïgon qui se souvient du jade, une ampoule électrique se balance au bout du fil et l'aveugle se déshabille à cinq heures. Pour l'anonymat et l'évasion je longe les murs, ils écoutent le sang qui coule de l'aorte à la tempe je pense aux murs, histoire de voir parmi la panoplie des choses du monde, l'automate dans le miroir ou tel indice du désir.

L'étoile rose

À l'égard du corps et du noir et du dedans du corps : de l'âme et du sang s'y agitent, la mémoire s'y perd, s'y retrouve, entre ce goût d'oseille et le sillage du poisson oranger dans la rivière. Mais cette nuit, sous Mengitsu, l'Éthiopie crève l'écran pousse le langage à bras-le-corps, tire la phrase découverte sous les gencives, car la pensée vacille entre la peau et les os. Pure perte. Le réel te saute aux yeux dans les vitrines, les films murmurent : «toute la vérité rien que la vérité» comme des filles mûres et lentement mouillées. Mais je perds pied Place Bonaventure, quand les morts, sous les gratte-ciel, se retournent dans leur mort et que je poursuis, entre les fusils, mon destin ma destinée ma rose... Et dans l'angle de tir, je porte au front cet Oeil, petit coquelicot blanc visé juste, à la tempe droite.

Parle-moi de la mesure

Quand les veines se révoltent, je dis : «Touche-moi ou parle-moi de la mesure comme du sens probable des désastres». Car il reste toujours à savoir de la pierre, si elle est forme ou matière ou leitmotiv de la mer qui broie ses pyramides. De toutes petites choses suffisent à la pensée, des pellicules sur le peigne, un caractère chinois ou cet autre à moi-même pareil, et qui s'épelle à mon épaule, de l'autre côté de moi. C'est dire le juste cadrage de l'émotion devant le mur où se balance un fil, l'exact profil de l'émotion parmi les lézards roses des rideaux, quand la tête levée en l'air à contre-jour respire l'air rare des statues et des colonnes. Alors l'âme ne s'émeut pas, toute absorbée en la pensée de la peau qui la porte et qui tressaille. Autopsie de la danse et de l'émotion qui te rendent le corps et son démembrement lié je dis encore, de toute ta pulpe de corps, «Touche-moi parle-moi», sinon ma bouche s'écoulera comme une blessure ouverte parmi les pierres.

La faute des images

Par la faute des images qui crèvent les yeux, les néons sont noyés sous la pluie et les larmes, le corps pend à l'autre bout de lui-même. Supports matériels de la pensée, de guerre lasse, les livres s'effacent dans leurs plis le coeur respire comme un buvard ; parmi les frères changés en pierres les gestes font des gestes d'ustensiles et d'accordéons. Tu sais que les nuits sont comptées, petites coupures sur la musique des comptoirs. Pourtant l'air n'a l'air de rien d'autre que d'un vitrail ou d'une aquarelle où bouge du bleu ; aux balcons des gens pensent à des géraniums, à des antiquités, à du quartz au poignet. À sa juste place, chaque chose du réel est rangée dans une mémoire d'écolier. Mais il y a l'encre qui te monte à la bouche, le kaléidoscope qui se casse aux phares des automobiles, la migraine des cheveux mouillés sur les vérandas et les bruits explosifs dans les cours : et du rouge à la surface de toutes les couleurs où clignote, monosyllabe, le mot fin.

Le cours de l'eau

Rien à l'orée de l'eau, seul l'oeil misé juste entre les microbes et les confettis. Le sens de l'existence, disait-elle, dans les volutes de sa danse. Au fur et à mesure de la cadence, le corps s'ajuste au corps, au fur et à mesure le corps se déploie dans la multitude déployée de sa peau. Je pense à la meule au cou dans le jaune de la cuisine, des voix d'ayatollahs et de Cisjordanie crèvent les tympans, d'un seul tenant la terre hurle parmi les ordures et les arcs-en-ciel. Rien à déclarer : sauf la dorure du corps qui danse contre la mort parmi la farine et le bleu de lessive, sauf la pointe des seins à l'abri des balles sous les robes, sauf cet instant de toupie où les voix se brisent dans sa voix. C'est l'orée de l'eau ; la nuit est blanche sur la surface du globe où elle danse. Le sens de l'existence suit son cours : de la pointe du pied jusqu'au saule pleureur, parmi les cuisses et les lignes barbelées, à la faveur du cancer inédit et de la chair qui résiste aux ciseaux.

L'état de corps

Le centre est à redire, forme inouïe du désir et de la danse, pointe nommée. L'état d'un homme quelque part, diffus épars parmi des villes et des pays, ni ombre ni proie, car l'ombre est à la pierre. Il marche dans ces pas pesant de tout leur poids sur les trottoirs, dans la raie de lumière qui découpe la paupière, dans la pulpe sonore des choses et dans le dépouillement de la peau déjà nue. Dans les rites de ce qui rend à l'écriture. L'état d'un homme, à tel moment d'une histoire, celui d'un corps qui trébuche parmi la race et les ancêtres de paroles. Il cherche le sens de l'existence dans les figures de la danse de la mère, dans l'alignement des pierres, parmi les matières de l'enfance qui se détachent des tableaux. Et parmi les voix qui recouvrent les voix. Il est là ; il passe droit.

3.
VOIX PORTÉES

Le corps, juste au corps

Théorique la mort : de toutes parts tu regardes les écritures dans les interstices du réel, les photographies aux dents de lait dans l'oeil d'oiseau de l'appareil Kodak et les livres, négatifs, qui s'alignent sur les rayons tandis que tu calcules ton âge à l'ombre de grands paravents blancs. Envie de départ : ailleurs le monde remue dans ses rouages, les meurtres assouvissent les villes, New York sera une belle écorchée vive. Tu reviens avec un coeur de carton-pâte et de mélancolie. *«Go ahead»,* je reste le frère de mon frère et la chair de ma chair tremble encore et se plaint dans ses eaux de naissance. Mais cette émotion de cinq heures : dans la cage thoracique le coeur bouge lentement comme un mollusque, à cinq heures parfois le coeur tressaille parmi les calorifères et les machines. Et cette forme que prend la peau, toute à la conscience de la peau, entre le téléjournal et la tisane. Et ce cri inaudible du corps juste au corps qui se tait tandis que la saison des pluies et la viande crue sous le manteau... De toutes ses oreilles tendues cet homme existe : il a des pores à chaque point du globe et les signaux sonores lui collent à la rétine au fur et à mesure que partout ça parle et qu'il cherche sa place.

Mais l'impasse du désir

Sourd aux voix basses pour un rien tu penses aux larmes de jadis. Moderne, cette mort s'effectue dans les meilleurs délais, instinct de précision, éclosion ou déclic. Mais l'impasse du désir sur une pomme mouillée, le rose de la salive sur les dents quand le jus coule, roucoule sur les dents de la fille qui bouge. Sous le coup de l'émotion, alphabétique, le mot bonheur fait des bulles dans sa bouche. La guerre est finie, disait-elle, parmi les fleurs de nylon et les cuirs de Pâques. (Insomnie : elle a des vues sur les rêves du fils, les affaires de coeur font long feu sur le rebord du coeur, petits commerces et pleines peaux, tu trembles au corps s'ils ont des mots sur la scène de famille). Pores de paroles, ce fils que tu es n'en revient pas de l'enfance du corps, il persiste à la suite du monde dans la pensée des dieux-le-père et des triangles, entre les mots croisés et les anneaux de broderies, tout adonné à la pensée de ne pas perdre, comme à la guerre, la mémoire. Répète encore — car la langue est un muscle — les poissons rouges dans la rivière rouge, le sang qui cogne à la peau et le désir de cette fille mortelle, qui croque à en rendre l'âme et les eaux, de bonheur une pomme toute nue.

Dans l'abondance du monde

Dans l'abondance du monde, parmi les jonquilles et le Liban, en déroute les sens orientent le réel. Coeur tatoué, coeur point de fuite entre les côtes, cran d'arrêt de la danse et des néants bleus, je ne suis ni le gitan, ni la bible ouverte à coup sûr au jour juste, ni le mot de passe entre les barreaux. Cet homme désigne ce qui arrête le regard, ce qui surprend le regard en l'imperceptible geste de sa vue, la hanche mortelle de la danse, la pointe d'aubépines, la peur fardée sous la paupière, le sourcil politique ; cet homme énumère les choses comme si les choses avaient à voir avec sa mort. Il était une fois dans les livres, parmi les lampes et les genoux, à trembler entre les animaux de Rome et les forêts d'Amazonie, à chercher son âme dans la flamme des bougies et des donjons. Mais les livres ne parlent plus entre les discours et les sommations, la guerre est froide de Beyrouth à Berlin et la peau pâlit, s'absente la peau à la faveur des dalles et des plis, à la faveur des foules fondues sous la pluie. Car dans l'abondance du monde, je reste parmi les jonquilles et le Liban, tandis que Dieu est mort de pierre, à fendre pierre, sur la mort de mon grand-père.

Nature morte

Réduite au silence la forme de la mer s'amenuise comme un songe, du dedans au dehors, retourné sur le réel. Les biches de la bible bondissent entre les pages, au tableau les guitares et les filles nues fondent à vue d'oeil, tu portes la main à la tempe comme un qui pense à la mort dans les effluves de vanille, les vernis d'acajou. Toute image décuple le regard aux yeux de l'homme enfant, toute substance abolit la surface plane du monde : risque ainsi l'épreuve du poème, la catégorie dite des langues maternelles et musclées car l'espace brûle à grands traits aux faces de cendre et d'Éthiopie. Nature morte : un verre sur la table, un lierre à la fenêtre, la mer s'ensable dans ses rizières tandis que tu avances vers nulle part sans aucun doute parmi les failles et les pylônes. À bout portant le coeur pompe les cellules, les graffiti ; et la tête repose sur son socle entre les crimes de guerre les passions de ruelles. Détecte les signaux aux lobes des oreilles, le sens est de profil sur les pages : coupe le souffle, parfois, réduis le silence, exactement.

Vocalises

Trois dimensions. Ainsi perçoit-il sa langue, pointe de fuite et mise au monde, saillante comme une matière (ou du sel ou de l'encre ou le papier émeri) d'où s'absenterait la peau. Elle dit : mer de rouages et de parasols, la chair des pères est vénéneuse entre les cuisses et les poils blonds brûlent dans la bouche, spasmes petits. Ceci pour la misère et les poignards du monde dans les journaux, ceci pour la ville démembrée de cinq heures parmi les plâtres et les nombrils voyeurs, ceci pour les coeurs découverts entre les métastases et les parapluies : la langue monte la garde de l'autre côté du mur. Seule entre les dents barbelées, elle est la proie de parole au centre de l'oursin, la déjà dite quand tombent les décrets et les rideaux. Mais la voix qu'elle porte depuis les contes de fées et les filles endormies dans leur sang, toute cette voix au ventre retourné comme un gant, voix de pyramides et de machines et de pigeons de Venise : elle tient la substance même du réel et du corps, elle rythme, métronome, la pensée jusqu'à la chute de Babel.

Ainsi de suite

Chiffre et jour, ce temps s'épuise ainsi de suite comme une fille à l'abreuvoir dans un tableau. Le coeur voyage parmi les lavandes et les vaisselles bleues, dimanche s'amenuise sous les auvents, sous les paupières. Sieste à Delphes, l'histoire fait halte au guet des policiers qui fument, les poings se ferment dans la mémoire aux cris des coqs et des accordéons. Sous l'aisselle, l'enfance touche la peau de chagrin, un deux trois compte les battements, les gousses du sang tressaillent entre les fils de la voix. Hors cadre, mesure exacte : les pères pensent et se taisent dans leurs cheveux de couleur, les cervelles flambent telles des idées fixes sur la place publique. Minute de vérité, le monde est en place sous le soleil, les yeux grésillent comme de petits néons crus. Tu dis, instant aigu ou nombre d'or : chante encore de cette voix de fille à l'abreuvoir, celle où le coeur et la langue et la mer sont à la répétition de la mort, celle où la mort va, ainsi de suite, et désencombrée de paroles.

Passé simple

Comme si elles étaient enceintes de pierres, sous les pierres, les mères gardent les corps tandis que le langage mûrit, voix portée parmi les robes de coton et les coquelicots. Je pense au passé simple de mon grand-père, fleur d'avoine et pot de grès et marie mai ; j'imagine, marelle, le sort tiré de ses os sous les mousses, cet air triste qu'il avait de se taire quand je lui parlais de sa mort. Projet d'avenir à l'opéra, je chantais «J'ai perdu mon Eurydice» et des villes de mer et de brocart et de brandy, à perdre haleine, tressaillaient dans ma bouche. «Le temps passe à coeur ouvert», disait-il ; tu portes ta vie de voiture et d'imprimerie, tandis qu'à cinq heures, sous la terre, les pensées du grand-père percent le mauve, les métros fauchent le cinzano entre les pissenlits et les filles de bronze. Et tu avances, chasse et coeur gardés — le coeur bondit parmi la foule de couteaux —, là où les mères mènent les corps : de l'autre côté du mur.

Le temps perpétuel

Toujours jamais comme les horloges de l'enfance, le coeur répète les assauts du coeur. Toutes les secondes sont brûlées vives, mouches à feu des nuits de flanelle, de naphtaline ; et telle nuit ouvre la mémoire comme un parasol dans les chantiers d'odeurs. Entends le pouls car le corps jouit de ce qui le dévore dans la mémoire du corps : c'est la main à la nuque de fourrure, cette femme et mère qui murmure de canelle dans la cuisine de l'été, c'est la nageoire du poisson rouge dont tu t'inventes une paupière de fille miraculeuse. Tout le désir passe par la mort, le temps d'apercevoir, en l'espace d'une seule phrase, ce qui perdure de bleu sur les papilles. Spasme attendu dont l'attente serait une huître immense sur le gris, s'ouvrant.

De l'autre côté du mur

Tel poème sans origine ni raison mais dans le seul étonnement du langage et des parfums, surgi. Des scènes adviennent comme en des tableaux : le penchant de la lumière vers l'angle mort, l'adolescent de Harlem mâche un mégot, lèche un fond de cirage. Et mon enfance tombe à genoux parmi les prières et les lièvres décapités, se retourne d'un coup mon enfance entre les pages de catalogue et les revolvers de plastique. Klaxons, mannequins, scalps d'Iroquois, je voudrais bien parler à mon frère de l'autre côté du mur, là où la musique allemande reluit comme une croupe, je voudrais bien parler mais il ne parle plus. Mon frère a plein la bouche des poissons de menthe rouge, des feuillets de réglisse, et le monde tourne sans lui comme un cirque de passage. Je voudrais bien parler à mon frère : de l'autre côté du mur.

De passage

Réduit au silence ; ne se disent ni la mort si moderne avec ses aciers dans l'âme dépolie, ni le bruit des abeilles dans l'au-delà des soeurs, ni la violence des mots devant les pins parasols. Mais il te reste le spectacle de tes os dans le matin des miroirs, la lumière en vrille dans les alvéoles, le coup porté des baisers, des capitales. On se détache de soi, petit à petit d'homme, dans l'arbre généalogique s'estompe la trace des ancêtres ; sous les paupières la peau ressemble aux paupières des pères, on se détache, se reconnaît, s'efface, quand les vitrines, au passage du noir, excluent les personnes qui passent. Cinéma de cinq heures : la salle est vide au centre de ta vie. Sur la pointe des pieds Charlie quitte l'écran comme un pas de danse à la surface du réel, comme un baiser de père triste juste au creux de l'oreille.

La voix mue

À faire corps, perdu avec la voix, tu cherches dans la mémoire de la peau le centre juste de la voix. Mais la terre est intense dans la tête, au poignet le compte à rebours est en marche de guerre, tandis que tu gravites parmi les fables de peluche et les bêtes nucléaires. Au jour le jour le langage se dilue sur la courbe de l'oreille qui écoute, au jour le jour le langage est affaire publique et matière de coeur : contre un verre le verre tinte dans le bleu de lessive, à midi les cloches de l'enfance rentrent de Rome, tu sais les voyelles a e i o u transparentes sur les cordes vocales. «Le silence est partout», dit-elle, comme Dieu dans les lilas et le chas des aiguilles. Tu entends aux ventres de famine les voix qui muent et percent juste au centre de ta voix.

La voix du père

Vocalises : dans l'oeil de tigre qui s'ouvre au doigt du père les Allemands font boucherie, au bord du fleuve ma ville de naissance flambe en mil neuf cent cinquante. Il prononce «le douce» avec des raisins verts et des fûts de liqueur dans la voix. «Sa voix mue» dit-il, tandis que tremble à mon cou le pied-de-roi. J'ai du coeur au ventre pour les airs de famille, les mystères de la vie ; mon père fait un homme de moi, il ouvre et suce, lentement, là où ça pense, ce petit foetus mouillé qui bouge, lentement, dans mon lobe d'oreille. Point final : le fils perd connaissance, avale sa langue le fils dans les vapeurs de camphre et de gingembre. Depuis, j'ai l'idée fixe des saveurs et celle du souffle qui passe, de la bouche au miroir, à l'heure de notre mort.

Les noeuds coulent

Quand du poème tu atteins le point de non-retour, le noeud coulant : jour pour jour ce que tu sais du monde, cette pierre d'angle du réel, te prend à la gorge. Dans la vitre, la pluie, plain-chant et dialecte de prières et petits bruits de la pluie : il y a un verre d'eau sur la table, de la nicotine sur les doigts, un film de guerre à la télévision, il y a des jours qu'il pleut, que le fils de Dieu ne parle plus derrière le bosquet aux oiseaux. Mais dans la profusion du monde, tu diras la chair souvenue de l'azalée sur la joue et le coeur qui continue de battre entre les aquarelles et les cloisons : pour un tout pour un rien, pour la pluie, petits bruits de la pluie dans la vitre, ravis.

Fins dernières

Et fins dernières des cycles, des airs, des histoires de familles. Il ne reste maintenant que le deuil, que le deuil et sa musique, sans la mort. Entre la lettre et la loi, tu écris que tu écris ce livre inlassablement, comme les allusions de la mer, inlassablement. Des manchettes, faits divers et cette ombre que tu portes, grands traits de nuit, à bras ouverts. Qui va là de la mort sans la mort, quand l'oeil à la fenêtre se bute à la fin du monde, à du gingembre pour la mémoire, à des poussières de bruit ? De corps et d'esprit, fais comme s'il ne s'agissait de rien car il ne s'agit que de cela, d'un néant anonyme, d'un opéra baroque.

La langue pense

Le compte à rebours, oui, tu sais, mais tout ce que dit la langue de la pensée et du corps, et du corps de la pensée, et du beau chahut de la danse et du chant, quand le corps de la mère en l'air de la chambre bleue vole parmi les vocables et les néons et les organes vifs du vocabulaire. Par coeur, et de toutes parts et de toutes peaux, le poème se déploie du côté du coeur ; répète que la matière de l'âme toute entière réside dans la diction de l'alphabet, dans le son de l'anémone, que l'âme de la matière toute entière se goûte dans la bouche des coquillages, là où la mort est dite : en voie de disparition.

Jusqu'à ce que mort...

Personne n'entendrait, à la dernière syllabe, ce désastre des idées fixes sous les cheveux de mon père ? Mais l'Histoire est précise comme une passion, au fond de la tasse les feuilles de thé sont retournées, il dit : «Je reviens de loin». Dans la volière, couvrant les mots, elle chante : *«The songs my mother taught me»*. Bleues, blanches, rouges, je retourne les billes dans ma bouche ; elles brûlent, lentement, comme des bougies de vitrail, jusqu'à ce que mort s'ensuive.

Structure du vertige

La structure du vertige : le coeur d'autrefois penche du côté des pommiers roses aux paupières de mes soeurs, là où l'ombre, déjà, avant l'ombre aux paupières, mais le coeur d'aujourd'hui s'incline, tour de pierres pensée où le sang tourne, d'un seul tour. Depuis, les murmures de mort s'ébruitent dans les oreilles, dans ma bouche dorment tranquilles de petits villages d'eau tandis que vivement, à la ligne, s'écroule la pente de la pensée.

Ces voix, là...

Fin de parcours, depuis deux mille ans la terre tourne autour du soleil, tes yeux s'éteignent à petits feux sur les photographies de famille. Petit d'homme, partout le fils entend des voix, le fils se tient à portée de voix, celles des femmes qui chantent à la radio parmi les rumeurs de guerre et celles des meules de la mer et celles qui tournent au mauve au seul mot sépia.

Ailleurs : là où il est question de varech et de béton et des âmes qui se diluent dans l'atmosphère et de la pesanteur du monde sur la ligne d'horizon, entends cette voix celle où tant va la parole à la bouche désencombrée de mort.

LES AIRS DE FAMILLE
(Analyse de caractère — extraits)

1.

TAILLES-DOUCES

Écrire sur la pierre ça
une seule ligne (1950 —
et du lierre autour
qui saura, saura à quoi
il pense à des choses
de la vie à des choses
comme pour rire
mourir de rire
à du vin de pissenlit
ou à des racines
grecques ou carrées.

L'enfant devant
la pierre
lui, bien droit
elle, lisseetnoire
pense mon père fait dodo
il y a des mouches à feu
la nuit et ma mère danse
dans le cimetière.

Feu
Donat Malenfant.
Je jure sur la tête
de mon grand-
père mort que le bon
Dieu de mon grand-
père mort
n'existe pas.

Bien alignées
bien en ordre
les unes à côté
des autres par
ordre alphabétique
peut-être selon
leur forme leur
couleur leur âge ?
De toutes façons
qu'est-ce que ça
me donne il est
mort ?

Toutes pareilles
en fin de compte
les pierres : le jour
la date l'heure tout.
Je sais qu'il n'était
pas pareil aux autres
parce qu'il avait mon
grand — une dent en or
— père contre moi.

Enterré vivant ?
comme monseigneur
de Laval dans l'Histoire
qui a mangé son bras ?
Tu descends de l'arbre
du bien et du mal disait-
il dans mon oreille
à voix basse. Pourtant
j'écris de la main
droite comme tout
le monde.

Dis ça sert à quoi ça
sert à quoi d'être
écrit sur la pierre
et de n'avoir plus rien
à me dire ?
À pierre fendre la peine à boire
debout la pluie l'enfant
do n'a plus de père depuis
qu'il n'existe plus depuis
le cheval de bois a pris
la mort aux dents et tout
ce jaune et tout ce jaune
sur ta joue qui ne joue plus.
Chut

tu cries tu vas réveiller
les morts il ne faut pas
jouer avec le feu ça
n'a pas de sens de crier
comme ça d'écrire
un livre sur la pierre.

Devant l'ennui des pierres
ce qu'il peut bien y avoir dessous
des serpents des couleurs
par numéros tu les fixes
comme la pierre au cou,
une idée fixe.

De telles rangées de pierres
tu dirais des fuseaux de fils
entre deux pas de deux ta mère
les a plantés, là, sans chas et sans aiguilles
l'effet de dortoir qu'ils font de petits soldats
ou d'oignons à sécher, là, juste sur les draps
entre elles rien ne passe ni un bouton décousu
ni la fronde ni le polichinelle moins encore
cette odeur de friture seul peut-être
un courant d'air
sec.

Seul tout fin seul comme une aiguille
sur un savon rose pour percer les oreilles.
Je pense à la pierre à couteaux de mon père
un vrai bijou
qu'il passe à l'eau pour qu'elle soit bien noire
comme la pluie sur toutes ces pierres-là pour
arroser les morts pour ne pas qu'ils
    pourrissent.
Je fais la sourde oreille quand mon père
pose sa pierre à couteaux dans mon cou.
C'est à mourir de froid.

À Pointe-au-Père mon père et moi
nous sommes à couteaux tirés
— devant toutes ces pierres on dirait
des autos mortes dans un parking
des caisses de bière vides —
parce qu'il dit que je prends le parti
de ma mère dans sa robe turquoise
dans l'escalier de la cuisine.
Je lève la tête en l'air et je voudrais être
dans un avion dans un arc-en-ciel
ou comme les violons qui volent
dans les peintures bleues de Chagall
dans la bible de ma grand-mère.
Elle se peigne avec une sorte de crabe
rose dans les cheveux elle dit
qu'elle perd ses cheveux.
À mon âge je n'ai pas l'âge de mourir
de sa belle mort même si mon frère
a été roulé dans la farine et qu'il repose
en paix sur la terre de roches
de Pointe-au-Père là où nous allons
aux framboises et aux noisettes
au mois d'août avant le carnaval
où ça danse les ours de peluche
et les carrousels et la crinoline
de ma mère et au moindre faux pas
mon père lui lance la première.

Parmi les pierres des croix
de bois croix de fer et caetera
(à tant danser elle a des ampoules au talon)
et je me souviens qu'il me disait de
tourner la langue sept fois dans ma bouche
avant de dire mes quatre vérités
car mon grand-père avait la foi
de tempérance.

Qu'est-ce qu'on peut bien
faire seul sous sa pierre ?
Des mots croisés ou des jeux
de serpents de tic tac toc
ou de pendu de cette pierre on dirait
un tableau d'ardoise en silence
je dessine
(vicieux des seins avec un point au bout •)
avec du rose naturellement sa voix
me manque il parlait franc fallait
l'entendre me raconter les histoires
de la fille qui a peur du sang et celles
du Führer et de Duplessis surtout celles
du Titanic et de Gethsémani.

À sa pierre j'ai beau
lui poser des questions il a
toujours le beau rôle il a
le fond de la question des choses
le dernier mot de la fin.
C'est quoi un alambic ou un astronaute
un orgelet ou un bec-de-lièvre
un hippocampe ou un asphodèle ?
Pas de réponse il pense à rien
ou bien à autre chose il repose
mon grand-père en paix
dans son fort intérieur.

Pendant que mes idées font boule
de neige dans ma tête de pioche
mon grand-père est patient, il ponce
la pierre en faisant mine de rien.
Quand je serai grand
que je ne m'ennuierai plus à me cacher
dans les garde-robes de naphtaline
à essayer les souliers à talons hauts
de ma mère qui se met du parfum
Avon derrière les oreilles
et que j'aurai un char pour les dimanches
après-midi d'ennui plutôt que lire
tout seul dans la balançoire
avec personne à qui parler autour
de moi être obligé de parler tout seul
comme Exile on l'a placée
à l'asile avec du sucre à la crème
et de la réglisse quand que je serai
plus haut que trois pommes comme
il disait pour rire de moi avec le pied-de-roi
sur ma tête je m'en ficherai bien qu'il soit
mort de sa belle mort sans avertir âme
qui vive exactement comme mon petit frère
qui nous a laissés pour les limbes
qui sont bleus.
Mais maudite mort s'il n'était pas mort
je pense tant je lui en veux d'être mort
sans prévenir comme un chien

je pense que je lui lancerais
ma fronde en plein front.

C'est l'été des indiens. À regarder comme ça
intensément la pierre de mon grand-père mort
il m'apprend, de A à Z, les mystères de la
mort.

2.

AUTOPORTRAITS

Tu ne dis plus je vieillis tu dis
je ressemble à mon père :
aux lieux du corps le père parle
toute la langue maternelle toute la langue
dévorée entre ses joues et la fumée
des cigarettes Player's. Silence, il parle :
depuis le rasoir au cou dans le miroir
barbe bleue le père dispute le fils
qui a peur du sang poule mouillée
le fils a des cheveux gris
le fils n'aura pas la parole ne prendra pas
du père les mots de bouche n'a pas connu
la guerre le prix du beurre le temps
du téléphone de l'électricité la valeur
de l'argent. Ferme ta gueule
sinon je te tue : le fils écoute aux portes
et tant va le corps à la mort qu'à la fin
sa voix mue sur les airs de famille.
Son vrai père : on dirait un portrait
tout craché tant ils se ressemblent
les tempes surtout et tout et tout.
Du pareil au même : père et fils
ont des mots dans la tour de Babel
ils parlent pour parler et chantent
à l'opéra les noms de Duplessis
et du Führer il tient l'Histoire à bout
de bras l'affaire Coffin ça court
sur toutes les langues le Titanic

Gethsémani et caetera les hommes
sur la lune. Et s'ils se taisent père
et fils se touchent. Sont touchés.

Traits tirés père et fils en tous points
pareils le père voulait une fille
pour le nid d'abeilles et l'ananas :
tu jongles derrière la mousse sur tes lèvres
à des vernis à ongles rose kennedy aussi
des crinolines barbe à papa et poult-de-soie
et tout le taffetas qui bruisse sur la langue
autour de Marilyn. Coupe court.
Couteaux tirés. Le fils fait un homme
de lui va seul aux vues va voir la fille
rouge qui rit **(ROYALE)**
de lui avec des verres fumés des seins
pointus qui bougent dans le rétroviseur
le fils relève le col de son imperméable
entre le pouce et l'index tient le mégot
a l'air d'un mec ou d'un soldat
d'un gigolo ou d'un acteur a l'air d'un gars.
Pas un mot plus haut que l'autre.
D'un coup le père s'est tu le fils risque
sa peau est en danger de mort la mère
ne le dit pas n'entend pas la parole
mais la danse pas à pas sur le parquet
jaune de la cuisine comme au cinéma
avec des idées dans la peau confetti
au cou des renards roux : âge ingrat
le fils fait des siennes des fugues
du poil au cul le fils n'a pas de sang
entre les cuisses il règle ses comptes

et touche et compte : écrit des poèmes
fous à lier comme des petits doigts
sur une tasse de thé.

Il pense dans ses mains elle tressaille
la veine bleue à ses tempes : je suis là
tout près à le voir sans le regarder
ce père et toute sa vie d'homme
de A à Z comme un casse-
tête sur la table. Orphelin, dit-elle,
et trop vieux pour son âge ses mots
dépassent sa pensée : je crois en Dieu
le père comme un ogre qui me prend
à la gorge. Mélancolie, le fils n'est pas
de son temps entre la marche
au catéchisme et le camphre
sous la camisole, depuis le palmolive
l'hostie et l'huile de foie de morue.
Pour danser, il faut toucher les filles
sois viril dis-tu tandis que tes mains
pensent sur mon cou tandis que
tes mains sur mon cou sont
plus étranges encore que les choses
de la mort ou les dents de sagesse.
Je m'enivre dans ma tête d'eau de Pâques
et de frontières du Maine tandis que
tes mains mais les ongles surtout.
Je suis fils de rien mais j'ai des idées
fixes sur le démon du midi : vieux garçon
le père aime les bars et les bras
musclés dans les miroirs aux alouettes
et les ceintures de cuir qui sanglent

la taille quand pour danser le fils
à en mourir passe et touche, touchant,
son tour de taille.

Mis au ban de sa pensée, je suis à nu
de la fin de la guerre jusqu'à l'alphabet
il oublie que je suis là parmi le chaos
et les humeurs où je mange une pomme
triste comme une peine d'amour capitale
comme une bombe atomique.
S'il s'absente je demeure sans miroir
— arrière-pensée, le corps ne se voit plus —
et gris mon visage ressemble
à un tatouage sur la photographie.
Alors vraiment toute la vérité je vieillis
entre l'iode aux genoux et le peroxyde
aux cheveux de ma mère : jack-in-the-box
mon cerveau jaillit tandis que se pose
le pied-de-roi sur ma boîte crânienne.
Il faut avoir du bon sens... :
j'apprends par coeur rosa rosae
rosam la table de multiplication
et la formule de l'oxygène
car le monde, dans les chambres,
est en perte de mémoire,
en voie de disparition tout le réel
dans les rideaux pendant que je dis
Sodome et Gomorrhe que j'écris,
graffiti : le désir brûle entre les côtes,
parle, le désir me prend à la gorge.
Avec une montre au poignet
je tiens le pouls de la mort,

je guette la syncope châtie bien
qui aime bien pour un oui
pour un non tu verras bien
près de la quarantaine quand
le corps à corps, seul,
se retourne de la tête aux pieds.

Passé au feu où suis-je dans l'Histoire,
les matières, tandis qu'il pense
de toute sa peau collée à sa pensée ?
Sur-le-champ je reçois le coup de foudre
de ma mort toujours possible
entre les bocaux de mirabelles
et les livres de Jules Verne toujours
possible la mienne et mort
car la minute de vérité est exacte
comme un film, un transparent
ou le négatif sur la rétine.
(Avis de décès : mon père pense
qu'il n'a pas le fils qu'il mérite
qu'il n'a que du corps au ventre
qu'il mouille aux aisselles
à la vue du sang des filles,
toute la langue avalée entre les joues
et la pensée qui coule on dirait une forme
qui n'en finit pas une.)
J'ai tel âge et je suis à fleur de peau,
mâle et anonyme ; de mon temps,
disait-elle, entre les draperies je voyais
le French Cancan et la Grande noirceur,
l'époque était aux anges de cinéma
le bleu leur allait comme un gant.
Depuis fils parmi les pères tu joues
le jeu ta vie passe un peu plus vite
dans les miroirs et les photographies

tu regardes en arrière et dans les siècles
des siècles comptes jusqu'à cent
fixes recommences jusqu'à la fin
du XXe siècle.

TABLE

LA TABLE DES MATIÈRES

1. LA TABLE DES MATIÈRES

2. BABEL

3. VOIX PORTÉES

Cet ouvrage, dont la conception graphique est de René Bonenfant, a été composé en caractère Garamond corps 12 par les Ateliers C.M. et achevé d'imprimer par les Éditions Marquis Ltée le cinquième jour du mois d'octobre mil neuf cent quatre-vingt-dix pour le compte des Éditions du Noroît de Saint-Lambert. L'édition originale comprend cinq cents exemplaires.